# Princesse Charlotte

## ouvre le bal

Cet ouvrage a initialement paru en langue anglaise en 2005
chez Orchard Books sous le titre :
*The Tiara Club*
*Princess Charlotte and the Birthday Ball.*
© Vivian French 2005 pour le texte.
© Sarah Gibb 2005 pour les illustrations.

© Hachette Livre 2006 pour la présente édition.

Adapté de l'anglais par Natacha Godeau

Conception graphique et colorisation : Lorette Mayon

Hachette Livre, 43 quai de Grenelle, 75015 Paris

# Vivian French

# PRINCESSE Academy

## Princesse Charlotte
### ouvre le bal

Illustrations de Sarah Gibb

hachette
JEUNESSE

# PRINCESSE
## *Academy*

Institution
pour Princesses Modèles

### *Devise de l'école :*

Une Princesse Modèle
est honnête, aimable
et attentionnée.
Le bien-être des autres
est sa priorité.

*Nous dispensons
un enseignement complet,
incluant des cours :*

- De Dragonologie
- De Haute-Couture Royale
- De Cuisine Fine
- De Sortilèges Appliqués
- De Vœux Bien Choisis
- De Maintien et d'Élégance

Notre directrice, la Reine Gloriana,
assure une présence permanente
dans les locaux. Nos élèves sont
placées sous la surveillance
de Marraine Fée, enchanteresse
et intendante de l'établissement.

## *Parmi nos intervenants extérieurs :*

• Le Roi Perceval
(expert ès dragons)

• La Reine Mère Matilda
(*Maintien et Bonnes Manières*)

• Lady Victoria
(Organisation de banquets)

• La Grande-Duchesse Délia
(Stylisme)

Les princesses reçoivent
des Points Diadème afin de passer
dans la classe supérieure.
Celles qui cumulent assez de points
la première année accèdent
au Club du Diadème, et se voient
attribuer le diadème d'argent.
Les membres du Club rejoignent
alors en deuxième année
les Tours d'Argent,
notre enseignement secondaire
pour Princesses Modèles,
afin d'y parfaire leur éducation.

*Le jour de la rentrée,
chaque princesse est priée
de se présenter à l'Académie
munie d'un minimum de :*

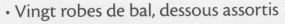

- Vingt robes de bal, dessous assortis
- Cinq paires de souliers de bal
- Douze tenues de jour
- Trois paires de pantoufles de velours
- Sept robes de cocktail
- Deux paires de bottes d'équitation
- Douze diadèmes, capes,
  manchons, étoles, gants,
  et autres accessoires indispensables.

Bonjour !
Je m'appelle Charlotte, Princesse Charlotte.
Enchantée de faire ta connaissance !
Ainsi, tu vas me tenir compagnie
à la Princesse Academy : quelle bonne nouvelle !
C'est une école très spéciale,
pour des élèves bien spéciales.
Je me demande d'ailleurs comment
Princesse Perfecta et Princesse Flora
ont pu y entrer…
Mais toi, tu as toutes les qualités requises.
Alors : bienvenue !

Tu as remarqué ?
Il y a des jours où tout va de travers.
Eh bien, tu sais, mon arrivée
à la Princesse Academy a été
une véritable catastrophe…

*À cette très chère Charlotte,*
*pour toujours et à jamais princesse,*
*avec toute ma tendresse, V. F.*

*À ma grande sœur, Princesse Charlotte, S. G.*

# Chapitre premier

En découvrant le dortoir de ma nouvelle école, je n'en crois pas mes yeux…

Quelle déception ! Cette longue pièce n'est vraiment pas gaie ! À part de jolis murs roses, la décoration se limite à six penderies, six chaises, et six lits bien ordonnés.

Tout à coup, je réalise le pire :

*Six ? Je vais donc partager cette chambre avec cinq autres pensionnaires !*

Un hoquet d'horreur s'échappe de ma gorge. Vite, je tâche de masquer ma surprise derrière

une petite toux distinguée, mais ce n'est pas si facile. Surtout lorsque j'aperçois la suite… Sur le moment, j'en reste bouche bée.

Pas de draps de satin dans les lits ! De simples parures de coton blanc. D'accord, elles sont d'une

propreté parfaite, mais quand même… Quelle princesse digne de ce nom accepterait de dormir dans de vulgaires draps de coton ?!

Je me tourne vers la Reine Gloriana qui, pour sa part, ne semble pas scandalisée du tout.

— Voilà, ma chère, me sourit-elle. Installez-vous, vous êtes chez vous !

La directrice me désigne le lit, près de la fenêtre, avant de poursuivre :

— Vous êtes la première hôte de la Chambre des Roses. Mais rassurez-vous, les autres princes-

ses vont bientôt arriver. Ce sont de charmantes jeunes filles, je suis sûre que vous deviendrez d'excellentes amies !

Elle me salue une seconde fois de la main, puis elle sort de la pièce, sa robe de velours balayant le sol avec grâce. Et tandis qu'elle s'éloigne dans le corridor, je réponds poliment :

— Merci, Votre Majesté !

Mais en vérité, mon cœur affolé bat la chamade !

Je me précipite à la fenêtre, pour rappeler le cocher.

Mais déjà, le carrosse doré de

mon père disparaît au détour de l'allée. Il étincelle au soleil… et moi, j'ai tellement envie qu'il me remmène à mon palais que je suis à deux doigts de pleurer.

C'est vrai, quoi, à la fin : on s'est sûrement trompé d'école !

J'ai passé une éternité à étudier le tract de « Princesse Academy, Institution pour Princesses Modèles ».

On y montre des escaliers somptueux, et un lac enchanteur peuplé de cygnes flottant sur leur propre reflet…

Et pour couronner le tout : le Bal de Bienvenue a l'air d'une véritable merveille ! Imagine la plus belle salle de bal du monde, avec un plafond comme un ciel de minuit, parsemé de millions de minuscules étoiles. Imagine des dizaines de princesses, plus élégantes les unes que les autres, valsant et valsant encore, vêtues de robes magnifiques...

En plus, ce merveilleux bal a lieu le soir même de la rentrée ! J'en rêve depuis des mois ! Je vois déjà les visages admiratifs se tourner vers moi, sur la piste de danse...

J'ai choisi d'avance ma robe :

d'un rose poudré, avec des tas de jupons vaporeux. Et mon diadème brillera de mille feux, au point d'éblouir l'assemblée.

Personne ne remarquera mes cheveux un peu trop ternes, ni mon nez imparfait. Car au Bal de Bienvenue, tout le monde sans exception rayonne de beauté.

Ainsi, j'ai supplié et supplié papa et maman de m'inscrire à la Princesse Academy. J'ai harcelé et harcelé maman, pour avoir la robe de mes rêves. Bon, je n'ai pas obtenu exactement celle que je souhaitais, mais presque.

Et ensuite, j'ai compté les jours un à un, jusqu'à la rentrée…

…Mais maintenant que le carrosse s'éloigne sans moi, je comprends que j'ai commis une grossière erreur !

La Reine Gloriana est effrayante. L'école, bien trop grande. Le dortoir, un cauchemar. Pas question de partager ma chambre avec cinq inconnues, ça non ! Je dois à tout prix m'enfuir d'ici !

— Bonjour ! lance soudain une voix, dans mon dos.

Je me retourne en serrant les

paupières, bien décidée à ca-
cher mes larmes...

# Chapitre deux

Quand on rencontre quelqu'un, on sent parfois tout de suite qu'on sera ami. Comme avec Princesse Alice, quand elle est entrée dans la chambre en sautillant ! Elle a un teint délicat, une chevelure sombre qui ondule sur ses épaules, et le sourire le plus adorable du monde…

— Pas très drôle, cette école ! s'exclame-t-elle subitement. Ma grande sœur était là, l'an dernier, et il paraît que c'est une vraie prison ! Ils veulent nous montrer à quoi ressemble la vie en dehors de nos palais…

Elle jette sa valise sur le lit à côté du mien et ajoute :

— Ça t'ennuie si je m'installe là ? Je n'ai pas envie d'être près d'une fille que je n'aime pas, tu comprends.

Voilà le genre de remarque qui vous réchauffe le cœur ! Je

m'empresse de répondre :

— Je t'en prie, vas-y !

— Pourvu que les autres soient
sympa ! grimace-t-elle alors. Ma
sœur m'a raconté que sa voisine
de chambre était si désordonnée
que le dortoir perdait sans arrêt

des Points Diadème ! En plus, elle ronflait !

Elle est amusante, cette Alice ! Et justement, à propos des Points Diadème, j'ai besoin de quelques détails. Je lui demande :

— Il en faut combien, déjà, des Points Diadème ?

À cette question, ses yeux étincellent. Elle soupire d'un air rêveur :

— Si tu en obtiens cinq cents – un miracle ! – tu entres au Club du Diadème. J'ai trop hâte ! Il y a une fête formidable, pour célébrer l'événement, et tu reçois des tonnes de cadeaux, et puis surtout, tu passes en deuxième année, dans les Tours d'Argent, où tout est fabuleux !

— Génial ! Et si on n'atteint jamais cinq cents points, que se passe-t-il ?

Alice n'a pas le temps de m'expliquer car, pile à ce moment-là, quatre filles entrent bruyamment dans la chambre.

En nous apercevant, elles s'immobilisent soudain, lissent leur jupe et se taisent.

La plus grande d'entre elles, d'une blondeur fascinante, nous salue d'une profonde révérence, s'inclinant avec élégance, et sans vaciller d'un pouce !

— Bonjour ! dit-elle d'une voix douce. Je me présente : Princesse Sophie. Et voici les princesses Katie, Émilie, et Daisy.

— Je suis Alice, réplique ma nouvelle amie en lui rendant sa révérence… sans vaciller non plus !

Cela me met un peu mal à l'aise, à force : moi, je chancelle chaque fois !

— Ne te laisse pas impressionner par Sophie, me réconforte Katie avec un clin d'œil complice.

Son regard émeraude pétille
de malice, sous les boucles rous-
ses qui lui encadrent le visage.
Elle poursuit :

— Elle fait des manières mais
elle est très gentille. Alors toi
aussi, tu es nouvelle. Tu t'appel-
les comment ?

— Charlotte.

— Eh bien Charlotte, nous sommes impatientes d'aller au bal ce soir ! continue Princesse Katie en s'affalant sur un lit d'une façon on ne peut moins princière !

— Pas vous ? Comment sont vos robes, vous nous les montrez ?

Je secoue la tête.

— Impossible. Je n'ai que mes tenues de jour. Le porteur me livrera celles de bal tout à l'heure, avec mes derniers bagages.

— Moi, pareil ! renchérit Alice. Bonne-maman estimait

qu'il n'y avait pas assez de place, dans notre carrosse.

La fillette ricane, puis elle confie :

— En fait, elle a tenu à m'accompagner, avec bon-papa, et ils ont mis leurs habits d'apparat. C'est tout juste si j'ai pu me faufiler entre eux… avec une minuscule valise !

Princesse Émilie pouffe à son tour. Je l'imaginais plus posée. Cependant, ses prunelles bleues brillent d'un éclat espiègle lorsqu'elle raconte :

— Nous, nous étions à quatre dans le carrosse hyper luxueux

de Sophie. Il est immense ! Nous tombions les unes sur les autres, pendant qu'il roulait, comme des petits pois dans une cosse ! L'avantage, c'est que nous avons pu placer plein de bagages sur le toit et...

Soudain, son visage devient blême ; elle ne termine pas sa phrase.

— Que se passe-t-il ? s'inquiète Daisy, la plus petite d'entre nous, avec de longs cheveux bruns et les plus grands yeux noisette de la planète. Ça ne va pas ?

Elle tapote la main d'Émilie qui s'étrangle :

— Les bagages ! J'ai vu le cocher sortir nos valises de la voiture, mais pas descendre nos malles du toit !

Silence général. Princesse Sophie reprend enfin son sang-froid. Elle murmure :

— Tu en es sûre, Émilie ?

— Attendez ! souffle Katie en courant vérifier à la fenêtre. Oui : nos valises sont empilées au pied du perron !

— Mais les malles ? frissonne Émilie. Oh, pitié, dis-moi qu'elles sont là !

Katie se penche tellement au-dehors, pour mieux voir, que j'ai peur qu'elle tombe !

Quand elle se redresse enfin, saine et sauve, elle s'époumone :

— Vite, les filles ! Le cocher n'est pas encore parti, il discute à la porte avec le valet de pied… et nos malles sont bien restées sur la voiture !

# Chapitre trois

Ni une, ni deux, nous dégringolons les marches de l'escalier, même Sophie pourtant si soucieuse des bonnes manières !

Des visages effarés apparaissent aux portes des appartements, sur notre passage, mais nous nous en fichons pas mal.

Nous traversons comme des flèches l'entrée principale…

Trop tard. Dans un fracas d'attelage, le carrosse chargé roule déjà vers le pont qui enjambe la rivière, en amont du lac.

— Nos robes de bal ! hoquette Sophie.

— Nos diadèmes ! gémit Daisy.

Elles se dévisagent toutes les quatre, l'air abattu.

— On n'a plus rien à se mettre, maintenant, pour le Bal de Bienvenue ! s'exclame alors Katie, désespérée.

Et les trois autres fondent en larmes !

Je ne voudrais pas me vanter, mais j'ai vraiment un don pour la course à pied. Aussi, devant l'épouvantable tristesse de mes

compagnes, je n'hésite pas une seconde : je relève bien haut jupe et jupons, et je fonce littéralement derrière le carrosse en m'égosillant :

— Hep! Arrêtez, s'il vous plaît! Stop!

Je sais: une Princesse Modèle n'agit jamais de la sorte. Mais là je n'ai pas le choix!

Par chance, je rattrape l'équipage comme il s'engage sur le pont. Le cocher, m'entendant enfin, se retourne vers moi.

Il tire fort sur les rênes, le carrosse oscille sur ses essieux… quand je remarque le chariot chargé du porteur, qui arrive en sens inverse !

Les deux voitures se percutent dans un choc terrible.

Le carrosse bringuebale, le chariot se renverse… et toutes, toutes nos malles et valises plongent dans l'eau dans un abominable splash !

Je me fige sur place, désempa-
rée.

Alice, Katie, Émilie, Sophie et
Daisy me rejoignent à cet instant.
Elles contemplent à leur tour le
désastre, paralysées d'effroi.

Seules quelques bulles, en sur-
face, indiquent que la rivière
vient d'engloutir nos bagages.

— Princesse Charlotte ! Dans
mon bureau, immédiatement.

Surprises par cette voix, dans
notre dos, nous pivotons et …
nous retrouvons face à la Reine
Gloriana ! Elle continue d'un ton
glacial :

— Quant à vous, princesses Alice, Daisy, Émilie, Katie et Sophie, je vous prie de réintégrer votre dortoir.

La colère de notre directrice me terrorise. Je balbutie :

— Oui, Votre Majesté…

Avant d'esquisser une révérence appliquée… et de chanceler.

Sans Alice à qui me cramponner, je me ratatinais lamentablement par terre !

« Pitié, je veux mourir ! » me dis-je en secret.

Si, promis. Je le pense vraiment. Surtout lorsque la Reine Gloriana me toise avec mépris, avant de tourner les talons et de regagner, altière, son palais !

Là, Alice me prend par la main.

— Oh, Charlotte, ma pauvre ! C'était un accident !

Je commence à pleurer, incapable de réprimer mes sanglots.

— Nous venons avec toi ! déclare Katie en me prenant l'autre main.

— Oui, toutes ensemble, renchérit Sophie. Tu essayais de sauver nos malles, après tout !

Émilie me tend un mouchoir, et Daisy ajoute, très solennelle :

— Tu as eu du cran, Charlotte. Jamais je n'aurais pu courir comme ça !

Leur gentillesse me console un peu.

Et quand je me présente au bureau de la directrice, elles insistent pour m'accompagner jusqu'à l'intérieur !

J'entre en bredouillant mes plus plates excuses. Sophie enchaîne en expliquant comment j'ai tout tenté afin de rattraper le carrosse qui emportait leurs malles.

À l'entendre, je suis presque une héroïne !

De son côté, la Reine Gloriana l'écoute, impassible, parfaitement royale. Elle estime à l'évidence que j'ai été très sotte, mais elle n'en dit rien.

À la fin du récit de Princesse Sophie, elle croise juste les mains sur sa table et me lance un regard sévère.

— Vos amies sont de précieuses alliées, Charlotte, commente-t-elle. Vous avez certainement

bon cœur, mais cela ne vous dispense pas d'apprendre à réfléchir avant d'agir !

Elle marque une courte pause, puis précise :

— J'ai demandé aux pages de récupérer vos bagages et de porter vos robes de bal chez Marraine Fée, notre intendante. Si vous la persuadez de vous aider, vous assisterez à la réception de ce soir. Si elle juge que vous ne le méritez pas, vous en serez exclue, ainsi que vos cinq petites camarades. Enfin, vous perdrez d'avance cinquante Points Diadème, ce qui est un bien piètre début d'année parmi nous... mais une leçon bénéfique. Vous pouvez disposer.

Muettes de honte, nous ressortons du bureau en traînant les pieds.

Je me sens si embarrassée !

Se retrouver à moins cinquante Points Diadème dès le premier jour n'a rien de réjouissant...

Mais le plus insupportable, c'est que nous allons manquer le Bal de Bienvenue, toutes les six. Et par ma faute !

# Chapitre quatre

Nous traversons, penaudes, le corridor. En nous apercevant, des élèves attroupées devant un panneau d'affichage se mettent à chuchoter.

L'une d'entre elles, une princesse au long nez pointu, persifle :

— Les voilà, les filles dont je vous parlais ! Elles démarrent sur les chapeaux de roue, avec déjà cinquante Points Diadème en moins !

Toutes ricanent. Et là, je l'avoue, Princesse Sophie se montre époustouflante.

Elle nous fait passer devant ces pimbêches avec un air si hautain que je manque d'éclater de rire !

— Ignorez-les, ordonne-t-elle d'un timbre clair comme le cristal. Des princesses dignes de ce nom soutiendraient leurs consœurs, dans ces tristes circonstances !

Informations scolaires

Adoptez un crapaud

Jeudi : cours de révérence

★ Bal de ★
Bienvenue
★ ce soir ! ★

Apprenez à descendre les escaliers avec majesté

**Atelier**
de cuisine après **les cours**

Réunion du Club d'Enchantements le mardi

Sur quoi, elle poursuit son chemin avec une totale indifférence.

— Tu as vu, près du panneau? murmure Alice à mon oreille. C'est Princesse Flora. Et la méchante qui médisait, avec son regard arrogant, sa mine sournoise et son long nez pointu, c'est Princesse Perfecta. Elle a redoublé, il lui manquait trop de points pour entrer au Club du Diadème. D'après ma sœur, c'est une vraie peste!

À cet instant, Daisy et Émilie se mouchent très fort. En fait, elles s'empêchent de pleurer, et je prends alors une grande décision : convaincre Marraine Fée de laisser mes amies assister au bal, quitte à me punir plus durement en échange, en m'ôtant cent Points Diadème, par exemple. Même si cette simple idée me noue l'estomac !

Alice connaissant le bureau de l'intendante, elle nous conduit à une porte imposante, avec une plaque sur laquelle on peut lire :

## *Marraine Fée*
### *Intendante de l'établissement*

Ni crapauds, ni grenouilles,
ni araignées, merci.

P.S : je ne délivre aucun
anti-migraine aux dragons

J'inspire à fond avant de frapper.

— Entrez ! retentit une voix de stentor.

J'entrouvre la porte avec angoisse, et risque un œil à l'intérieur.

Ce n'est pas banal !

Tout, chez la bonne fée, semble démesuré ! Elle porte des vêtements amples ; des drapés recouverts de châles, de foulards. Ses cheveux s'évadent de son chignon, autour de son visage rond et écarlate.

Derrière elle, un feu de bois énorme crépite, les flammes

grimpant haut dans le conduit de la cheminée. De nombreuses étagères tapissent la pièce, aussi. Elles croulent de flasques, fioles et récipients divers, ainsi que de bouquets d'herbes bizarroïdes. Et le plus gros chat tigré que j'aie jamais vu ronronne en boule, sur le bras d'un fauteuil gigantesque.

Une impression étrange se dégage de l'ensemble, quelque chose d'assez effrayant, en réalité…

Et, tout à coup, je remarque nos robes de bal : elles pendent lamentablement sur un portant !

Elles dégoulinent de vase, dégouttent sur le tapis, les dentelles déchirées, pleines de boue, nos jupons en lambeaux !

Sophie pousse un petit cri, les autres ont le souffle coupé. Et le comble : Alice me lâche la main pour s'agripper au bras de Katie !

— Regardez ce gâchis ! geint-elle.

— Ainsi, Princesse Charlotte, vous êtes la cause de cette fameuse pagaille ! accuse Marraine Fée de son timbre surpuissant. Qu'avez-vous à dire pour votre défense, mademoiselle ?

Je déglutis avec peine en ânon-
nant timidement :

— Tout est ma faute… J'ai agi
sans réfléchir. J'ai couru après le

carrosse, et le conducteur a per-
cuté le chariot parce qu'il s'est
retourné vers moi, et…

À cet instant précis, une flamm-mèche jaillit de la cheminée jusqu'au beau milieu du tapis pure laine. Le feu prend aussitôt !

# Chapitre cinq

Tout le monde hurle, dans la pièce.

Daisy file direct à la porte. Moi, mon cœur bondit dans ma poitrine ; je sais malgré tout ce que je dois faire.

J'arrache ma robe toute mouillée de la tringle, je la jette sur les flammes, et je la piétine !

Ça empeste vite la soie brûlée, mais je réussis à étouffer le feu. Soulagée, je m'adosse au mur, haletante… et Marraine Fée commence à rire !

— Bravo, princesse, me congratule-t-elle d'un ton soudain radouci.

Puis, s'adressant à mes petites camarades :

— Vous voyez, mes enfants. Agir sans réfléchir peut parfois s'avérer salutaire ! Princesse Charlotte ayant sauvé mon tapis, elle mérite de formuler un

vœu. Alors, ma chère, que dési-
rez-vous ?

Son large visage rubicond me
sourit enfin avec bienveillance.

Bien sûr, je souhaite que les
robes de bal de mes amies rede-
viennent toutes neuves !

— Excellent ! déclame l'intendante.

Et elle claque des doigts.

Tu as déjà vu de la poussière
de fée magique, rose et scintillante ? C'est prodigieux ! Ça vo-
lette, ça embaume la fraise, ça te
chatouille les narines de ma-
nière délicieuse… et ça te fait
éternuer !

Lorsque nous reprenons nos esprits, cinq robes absolument somptueuses pendent à cinq cin-tres de satin et cinq diadèmes

sublimes étincellent juste au-des-
sus, en flottant dans les airs !

— Oh ! s'émerveille Daisy dans
un souffle.

— Ça alors ! lancent Katie et
Émilie d'une seule voix.

— Elles sont fabuleuses ! s'ex-
tasie Sophie.

Alice glisse à nouveau sa main
dans la mienne et murmure, les
yeux brillants :

— Tu es une vraie amie, Charlotte !

— Oh, merci, Marraine Fée !
dis-je avec bonheur.

Je suis si heureuse que j'ai l'impression de planer…

Avant de déchanter brusque-
ment, devant ma piteuse robe de
bal à moi !

Elle gît par terre, détrempée, toute noire et calcinée. Cela me donne la nausée !

Je me ressaisis pourtant : après tout, ce n'est que justice, puisque je suis la seule coupable… Mes compagnes daigneront peut-être me raconter le Bal de Bienvenue, demain matin !

Mais j'ai beau me raisonner, j'ai quand même une sacrée

grosse boule de chagrin dans la gorge ! Alors, je ramasse ma robe miteuse en sanglotant :

— Je vais nettoyer tout ça…

— Attends ! s'empresse Alice. J'ai une autre robe de bal, dans ma première valise. Je te la prête, tu veux ? Allez, accepte, ça me ferait plaisir !

Un rayon d'espoir m'enveloppe ; je regarde Marraine Fée, qui se frotte le menton d'un air songeur.

— S'il vous plaît ! la supplie Sophie en écho. Autorisez Charlotte à assister au bal avec nous !

Elle gratifie l'intendante de

Amies pour toujours et à jamais !

l'une de ses plus majestueuses révérences.

— Je vous en prie, Marraine Fée ! renchérissent en chœur Daisy, Émilie et Katie en s'inclinant aussi.

— Sans Charlotte, on n'en pro-
fiterait pas, insiste Daisy. Nous
sommes chacune la meilleure
amie des cinq autres !

— Exactement ! acquiesce alors
Alice.

Et elle exécute encore une gracieuse pirouette, brandit son diadème, puis ajoute :

— Je proclame les occupantes de la Chambre des Roses les meilleures amies du monde, inséparables pour toujours et à jamais !

Cette chère Alice ! Je l'aurais embrassée ! J'ai été très solitaire, jusqu'ici, et je souhaitais pardessus tout rencontrer de véritables amies, dans cette école… Et voilà !

Ce n'est encore que mon premier jour, j'ai failli tout gâcher, mais en même temps, il m'arrive quelque chose de réellement unique !

Le regard lumineux de Katie, le sourire radieux de Sophie, Émilie et Daisy qui approuvent et me soutiennent…

— Puisque c'est ainsi, capitule alors l'intendante, je déclare que les occupantes de la Chambre des Roses participeront toutes au bal de ce soir !

Elle pouffe légèrement avant de terminer :

— J'estime néanmoins que Princesse Charlotte devra s'y rendre dans sa propre tenue…

Et elle s'empare de ma robe brûlée !

Elle disperse une deuxième ration de poudre magique dans

l'air, et une nouvelle robe apparaît dans mes bras ! Elle est si idéale que j'ai du mal à le croire. D'un rose poudré avec des jupons vaporeux, comme l'ancienne… mais toute scintillante de poussière enchantée ! Exactement ce dont je rêvais !

— Encore un détail, indique Marraine Fée comme nous allons quitter son bureau. Aucune d'entre vous ne perdra de Points Diadème. En fait…

Un éclat particulier illumine ses pupilles. Elle termine :

— Je vous en accorde vingt chacune pour bonne camaraderie !

Folles de joie, nous voulons toutes la remercier, mais elle nous pousse dehors.

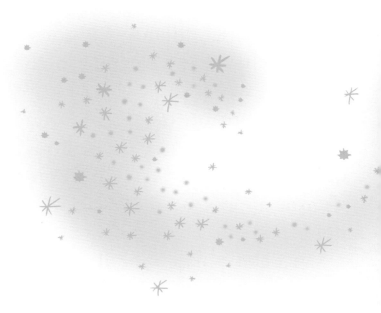

— Allez, allez, allez, mesde-moiselles ! J'en connais qui doi-vent se préparer pour le bal !

Sur le palier, je lance quand même un regard curieux par-dessus mon épaule, et je note que le tapis est réparé ; pas la moindre trace de brûlure !

Et, dans l'entrebâillement de la porte, Marraine Fée m'adresse un clin d'œil complice...

# Chapitre six

Le Bal de Bienvenue a été une vraie réussite !

Je t'ai déjà parlé du plafond comme un ciel de minuit parsemé de millions d'étoiles ? Eh bien, il s'est passé un événement extraordinaire justement.

Les nouvelles élèves pénètrent
toujours en dernier, dans la salle
des cérémonies, c'est une cou-
tume scolaire, nous a expliqué
Marraine Fée.

Nous, les princesses de la Chambre des Roses, nous nous sommes débrouillées pour rester groupées. Nous sommes donc entrées après tout le monde, et nous étions vraiment très nerveuses.

Nous avons passé les grandes portes d'or d'un pas solennel (et personne n'a trébuché, promis!). Dans la salle de bal, la Reine Gloriana, debout près de son trône flamboyant, attendait de nous accueillir officiellement.

Nous lui avons fait la révérence la plus appuyée possible (et même moi, je l'ai réussie, promis!), et dans un sourire, la directrice a déclaré :

— Soyez les bienvenues à la Princesse Academy, mes chères enfants !

Elle a incliné la tête. À ce signal, Marraine Fée a agité sa baguette magique vers le plafond. Et là…

…La voûte céleste s'est enrichie de six nouvelles étoiles ! Six, pour nous six ! Des étoiles brillantes, brillantes !

Je suis désolée si ça paraît prétentieux de ma part, mais en vérité, nos étoiles sont bien les plus grosses et les plus éclatantes de toutes.

La musique s'est ensuite élevée dans les airs, nous entraînant dans un tourbillon de valses sans fin…

Nous avons dansé dans nos magnifiques robes roses, dansé et dansé encore… jusqu'à ce que la pendule carillonne les douze coups de minuit.

Oui, décidément, quelle soirée
fantastique ! Avec Alice, Daisy,
Émilie, Katie et Sophie, nous

avons bavardé et ri ensemble sans arrêt ! Nous nous sommes vraiment bien amusées.

Plus tard, couchées dans nos lits douillets, nous entendons Marraine Fée grimper bruyamment les escaliers. Elle arpente les dortoirs, afin de s'assurer que toutes les princesses ont bien éteint leurs lumières.

— Bonne nuit, la Chambre des Roses ! souhaite-t-elle en pas-

sant devant chez nous avant de redescendre, claquant fort des semelles sur chaque marche.

Blottie dans mes draps de coton frais, je réalise soudain quelle chance j'ai d'être à la Princesse Academy.

Je me fais d'ailleurs une promesse secrète :

J'y consacrerai autant d'efforts qu'il faudra, mais j'entrerai au Club du Diadème, et avec toutes mes amies… toi y compris !

## FIN

Que se passe-t-il ensuite ?
Pour le savoir, tourne vite la page !

# L'aventure continue
# à la Princesse Academy
# avec Princesse Katie !

C'est moi, Princesse Katie !
À la Princesse Academy, nous assistons à notre premier cours
de Vœux Bien Choisis avec notre Marraine Fée, bien sûr !
Je dois formuler un joli vœu... et je crois bien savoir lequel !
À la clef, 100 Points Diadème, et le droit d'ouvrir le Défilé
Royal. Mais évidemment, ces pestes de Princesses Perfecta
et Flora sont là pour tout compliquer...

# Les as-tu tous lus ?

Retrouve toutes les histoires de la Princesse Academy

Princesse Charlotte
ouvre le bal

Princesse Katie
fait un vœu

Princesse Daisy
a du courage

Princesse Alice
et le Miroir Magique

Princesse Sophie
ne se laisse pas faire

Princesse Émilie
et l'apprentie fée

## Saison 2 : les Tours d'Argent

Princesse Charlotte
et la Rose Enchantée

Princesse Katie
et le Balai Dansant

Princesse Daisy
et le Carrousel Fabuleux

Princesse Alice
et la Pantoufle de Verre

Princesse Sophie
et le bal du Prince

Princesse Émilie
et l'Étoile des Souhaits

Princesse Charlotte
et la Fantaisie des Neiges

Princesse Alice
et le Royaume des Glaces

## Saison 3 : le Palais Rubis

Princesse Chloé
entre dans la danse

Princesse Jessica
a un cœur d'or

Princesse Marie
garde le sourire

Princesse Olivia
croit au Prince Charmant

Princesse Maya
fait le bon choix

Princesse Noémie
n'oublie pas ses amies

Princesse Noémie
et la Serre Royale

Princesse Olivia
et le Bal des Papillons

Hors-série
Le Bal des Papillons

## Saison 4 : le Château de Nacre

Princesse Anna
et Noirs-Moustaches

Princesse Isabelle
et Blanche-Crinière

Princesse Inès
et Plume-d'Or

Princesse Lucie
et Truffe-Caramel

Princesse Emma
et Sabots-Bruns

Princesse Sarah
et Duvet-d'Argent

## Saison 5 : le Manoir d'Émeraude

Princesse Amélie
et le sauvetage
du petit phoque

Princesse Léa
et le trésor
de l'hippocampe

Princesse Rosa
et le mystère
de la baleine

Princesse Mélanie
et le secret
de la sirène

Princesse Rachel
et le bal
des dauphins

Princesse Zoé
et la cérémonie
du coquillage

## Saison 6 : les Tours de Diamants

Princesse Mina
et le koala

Princesse Bettina
et le cochonnet

Princesse Karine
et l'agneau

Princesse Lalie
et le cochon d'Inde

Princesse Agathe
et le petit panda

# Table

PAPIER À BASE DE
FIBRES CERTIFIÉES

⊞ hachette s'engage pour l'environnement en réduisant l'empreinte carbone de ses livres. Celle de cet exemplaire est de :

**400 g éq. CO$_2$**
Rendez-vous sur
www.hachette-durable.fr

Photogravure **Nord Compo** - Villeneuve d'Ascq

Imprimé en Roumanie par G. Canale & C. S.A.
Dépôt légal : septembre 2006
Achevé d'imprimer : mars 2013
20.24.1265.6/15 – ISBN 978-2-01-201265-3
*Loi n° 49-956 du 16 juillet 1949*
*sur les publications destinées à la jeunesse*